W9-BMO-590

**Reisetour um den BODENSEE**
**Voyage autour le LAC DE CONSTANCE**
**Journey around LAKE CONSTANCE**

Bert Teklenborg

Farbbild-Reise

# Bodensee

Vom Hegau nach **Oberschwaben**

ZIETHEN-PANORAMA VERLAG

ISBN 3-921268-70-2

© Copyright by:
ZIETHEN-PANORAMA VERLAG
D-53902 Bad Münstereifel · Flurweg 15
Telefon: (0 22 53) 60 47

Neuauflage 1998

Redaktion und Gestaltung:
Horst Ziethen und Bert Teklenborg

Texte: Bert Teklenborg
Englische Übersetzung: Gwendolen Freundel
Französische Übersetzung: France Varry

Gesamtherstellung:
ZIETHEN-Farbdruckmedien GmbH
D-50999 Köln · Unter Buschweg 17
Fax: (0 22 36) 6 29 39

Printed in Germany

Bildnachweis auf der letzten Seite

Bert Teklenborg

## Farbbild-Reise Bodensee –
### Vom Hegau nach Oberschwaben

Herzlich Willkommen am Bodensee, dem beliebten Ausflugs- und Ferienziel im südwestlichen Baden-Württemberg. Bevor Ihre Rundreise im Dreiländereck Deutschland-Österreich-Schweiz beginnt, möchten wir Sie einstimmen auf eine der schönsten Landschaften des nördlichen Voralpenraums. Kommen Sie mit auf die Terrasse des Meersburger Schlosses – von dort haben Sie einen wunderbaren Ausblick auf das ganze Panorama des „Schwäbischen Meeres".

Weit dehnt sich der Spiegel des Obersees vor der Kulisse des Appenzeller Landes mit dem steil aufragenden Säntis-Massiv im Süden und den Ausläufern der Vorarlberger Alpen im Osten. Hier schickt der junge Rhein sein smaragdgrünes Wasser in den Bodensee, strömt es vorbei an der mittelalterlichen Inselstadt Lindau, entlang den sanften Höhen des oberschwäbischen Ufers und findet bei Konstanz ein neues Flußbett in Richtung Untersee.

Bei Meersburg, zwischen bewaldetem Bodanrück und Linzgauhöhen, beginnt der Überlinger See. Von seinem nördlichen Ufer grüßt, in vollendeter Harmonie mit der umliegenden Landschaft, die liebliche Barockkirche Birnau. In einer weiten, von Schilf umrahmten Bucht zeugen Pfahlbauten von frühen Siedlungen am Bodensee. Direkt gegenüber liegt die Insel Mainau mit ihren subtropischen Gärten.

Weiter westlich, dem Rheinstrom folgend, zwischen den Höhenzügen des schweizerischen Thurgau und der Insel Reichenau mit ihrer mehr als tausendjährigen Kulturgeschichte, liegt der Untersee. Von hier aus blickt man über den Zeller See in Richtung Hegau, der mit seinen charakteristischen Vulkankegeln die Bodenseelandschaft im Nordwesten begrenzt. Dort beginnt auch die Farbbild-Reise dieses Buches. Sie führt über Singen am Hohentwiel zuerst in die Schweiz

## Le Lac de Constance –
### Du Hegau à la Souabe supérieur

Le lac de Constance, lieu de villégiature trés apprécié dans le Sud-Ouest du Bade-Wurtemberg, vous souhaite la bienvenue. Avant de commencer notre circuit dans la région où se rencontrent les frontières allemandes, autrichiennes et suisses, nous monterons sur la terrasse du château de Meersburg pour découvrir un panorama magnifique sur le lac appelé Bodensee en allemand. Une première impression d'un des plus beaux paysages des Préalpes du Nord. . .

Le lac de Constance se compose en réalité de trois parties: l'Obersee, l'Überlingersee et l'Untersee. L'Obersee ou lac Supérieur s'étend devant le pays de l'Appenzeller où s'élève le rude massif du Santis au Sud et qui est bordé à l'Est des contreforts des Alpes. C'est dans cette partie du lac que le Rhin apporte ses eaux émeraude. Le fleuve coule le long de l'île médiévale de Lindau et des collines douces de la rive supérieure souabe avant de sortir du lac près de Constance pour rejoindre le lac Inférieur dans un nouveau lit.

La partie du lac dite Überlingersee commence près de Meersburg, entre le Bodenrück boisé et les hauteurs de Linzgauhöhen. Sur sa rive nord, l'église baroque de Birnau compose une harmonie parfaite avec le paysage environnant. Dans une baie entourée de roseaux, un village lacustre rappelle que les berges du lac étaient déjà habitées aux âges de la pierre et du bronze. Juste en face s'étend l'île de Mainau réputée pour son parc subtropical.

Plus à l'Ouest, en suivant le cours du Rhin, le lac Inférieur s'étend entre les sommets du Thurgau suisse et l'île de Reichenau, riche d'une culture de plus de mille ans. Depuis cet endroit, on peut découvrir au-delà du lac de Zeller un paysage parsemé de curieux pitons volcaniques: la région du Hegau qui forme la frontière nord-ouest du lac de Constance.

## Lake Constance
### From the Hegau to Upper Swabia

Welcome to Lake Constance, the popular holiday area in the south-west of the state of Baden-Württemberg. Lake Constance is shared by three countries, Germany, Austria and Switzerland. The English name of the lake is of course derived from the Swiss town of Konstanz, while the German name - Bodensee - comes from the ancient settlement of Bodman, at the north-west corner of the lake. The scenery of Lake Constance is extraordinarily varied; there are beautiful beaches, pretty villages, well-kept parks, imposing mountains, dense woodlands, solitary marshes, exotic gardens, remote ravines - in other words, something for everyone.

One of the most familiar views of Lake Constance is from the terrace of Meersburg Castle. From up here we can see a long stretch of the lake, framed by a striking backdrop of mountains; to the south the Appenzell region and the steep rockfaces of the Säntis range, to the east the foothills of the Vorarlberg Alps. At the point where the Swiss and Austrian borders meet, the young Rhine pours its emerald-green waters into Lake Constance and disappears till Konstanz, where it is temporarily squeezed into a narrow channel before emerging again near Stein am Rhein to start the long journey north to the sea.

Our pictorial journey around Lake Constance starts near the Black Forest, in the distinctive volcanic landscape of the Hegau. From Singen we turn south across the Swiss border to the picture-book town of Stein am Rhein, then follow the shore to Radolfzell before exploring the old churches on the isle of Reichenau. After a brief excursion to Konstanz we cross into Switzerland to the south shore of the lake, taking a trip into the Swiss Alps before returning to Konstanz and the famous island of Mainau with its amazing displays of

nach Stein am Rhein, folgt dem Seerhein entlang der Halbinsel Höri, umrundet den Untersee mit einem Abstecher zur Insel Reichenau. Sie erreichen Konstanz, wo ein Stadtrundgang auf dem Programm steht. Ein Ausflug entlang dem Schweizer Ufer des Bodesees führt über Romanshorn ins Appenzeller Land. Danach geht es weiter zur Insel Mainau und von dort rings um den Überlinger See nach Meersburg.

In Kressbronn verlassen Sie den Bodensee für eine Rundreise entlang der Oberschwäbischen Barockstraße. Ihr ist der zweite Teil dieses Bildbandes gewidmet, in welchem besonders die Freunde barocker Baukunst voll auf ihre Kosten kommen.

Wie Perlen auf einer Schnur reihen sich die Sehenswürdigkeiten aneinander: die größte Barockkirche nördlich der Alpen in Weingarten, die „schönste Dorfkirche der Christenheit" in Steinhausen, der höchste Kirchturm der Welt in Ulm, und vieles mehr. Die Reise führt weiter durch die reizvolle und abwechslungsreiche Landschaft des westlichen Allgäu. über Rot a.d. Rot, Leutkirch, Isny und Wangen.

Bei Lindau kommen Sie zurück an den Obersee. Nach einem Besuch des malerischen Wasserburg erwartet Sie vom Vorarlberger Aussichtsberg Pfänder, in über 1000 Meter Höhe, bei guter Fernsicht ein einmalig schöner Rundblick über den gesamten Bodensee, Oberschwaben und die umliegenden Alpengipfel – die Route dieser Farbbild-Reise.

C'est là que commence notre voyage photographique. En passant par Singen sur la montagne du Hohentwiel, il nous emmènera d'abord en Suisse, à Stein sur le Rhin. Nous suivrons ensuite le cours du Rhin qui longe la presqu'île Höri, contournerons le lac Inférieur et ferons une excursion sur l'île de Reichenau. La prochaine étape sera Constance où nous nous attarderons avant de faire une randonnée qui nous conduira à Romanshorn, à Arbon et au massif du Santis. Nous rejoindrons alors l'île de Mainau et irons explorer les rives de l'Überlingersee jusqu'à Meersburg. . .

A Kressborn, nous quitterons le lac de Constance pour emprunter l'Oberschwäbische Barockstraße ou Route baroque du souabe supérieur. Cette deuxième partie de notre circuit photographique fera la joie des amateurs d'art baroque.

Des curiosités splendides se succèdent le long de la route: la plus grande église baroque au-delà des Alpes à Weingarten, la plus „belle église paroissiale de la Chrétienté" à Steinhausen, le plus haut clocher du monde à Ulm. . .

Les paysages de l'Allgau occidental aussi variés que ravissants abritent des localités pittoresques telles Rot an der Rot, Leutkrich, Isny et Wangen.

Après être retournés sur le lac Supérieur à Lindau, nous visiterons la jolie petite ville de Wasserburg et terminerons notre voyage sur le massif Pfänder (1000 m) dans le Vorarlberg autrichien d'où nous emporterons une dernière vue magnifique sur le lac de Constance, la Souabe supérieure et au loin, les pics des Alpes.

semi-tropical plants. Continuing round the north-west corner of the lake, we come across two of the most famous and contrasting of all its sights; the sublimely beautiful Baroque church of Birnau and the bizarre prehistoric lake dwellings in Unteruhldingen. We continue to hug the lake shore, stopping to look at the popular wine-growing centre of Meersburg, until we reach the border of Bavaria, at Kressbronn.

In Kressbronn we leave Lake Constance on a circular tour of the Swabian Baroque Route. The magnificent churches of this area are strung out like a row of pearls along our route - the largest Baroque church north of the Alps in Weingarten, the "most beautiful village church in Christendom" in Steinhausen, the highest church spire in the world in Ulm, and many more. Our detour continues through the charming hilly landscape of the Allgäu, via Rot an der Rot, Leutkirch, Isny and Wangen, before we return south to Lake Constance and the magical island of Lindau. We finish our round trip near Bregenz, at the eastern end of the lake, at the summit of the Pfänder, which on a clear day offers an unrivalled view of the whole of Lake Constance, Upper Swabia and the surrounding peaks of the Alps.

Kommen sie vom Schwarzwald über Donaueschingen zum Bodensee, so bietet sich vom Hohen Randen herab eine schöne Aussicht über die charakteristischen Berge des Hegau, Reste erloschener Vulkankegel. Vorbei an Engen mit sehenswerter historischer Altstadt erreichen Sie Singen am Hohentwiel, auf dessen Gipfel einst die größte Festungsanlage Deutschlands stand. Hier oben wandert der Blick weit über die silbern glänzende Wasserfläche des Bodensees bis hin zu den Alpen.

Si nous venons de la Forêt-Noire et arrivons au lac de Constance par Donaueschingen, nous pouvons admirer depuis la hauteur dite Hohen Rand, une très belle vue sur les cônes volcaniques du Hegau. Après avoir traversé Engen avec sa vieille ville historique, nous atteignons Singen sur le Hohentwiel dont le sommet était couronné autrefois du plus grand ensemble de fortifications en Allemagne. De ce site, s'offre un panorama incomparable sur la surface argentée du lac de Constance.

Coming from the Black Forest the first indication that we are approaching Lake Constance is the skyline of the Hegau, an area of long-extinct volcanoes. After exploring the historical town centre of Engen, we reach Singen and the Hohentwiel. At its summit stand the ruins of a mighty fortress, once the largest in Germany. From here there is a breathtaking view of the plain and, in the distance, the shimmering waters of Lake Constance against the dramatic backdrop of the Swiss Alps.

Wählen Sie für die Anfahrt zum Bodensee die Route durch die nahe Schweiz. Dort wo der Rhein den Untersee verläßt, liegt die mittelalterliche Stadt Stein am Rhein mit ihren bemalten Fachwerkhäusern rund um den Rathausplatz. Ein Spaziergang führt am Kloster St. Georgen vorbei über die Rheinbrücke nach Eschenz, dem einstigen römischen Kastell Tasgetium. Hier bei der Insel Werd befand sich der Rheinübergang der alten Römerstraße von Pfyn nach Rottweil.

Approchons-nous du lac de Constance par le côté suisse. La ville médiévale de Stein avec sa jolie place entourée de maisons à fresques s'étend à l'endroit où le Rhin quitte le lac Inférieur. Une promenade nous emmène au couvent bénédictin de Saint-Georges. Après avoir franchi le pont du Rhin, nous atteignons le faubourg de Eschenz qui marque l'emplacement de l'ancien castel romain Tasgetium. Un peu plus loin, en aval d'Eschenz, se trouvent les petites îles de Werd.

The best way to approach Lake Constance is to drive south from Singen to the Swiss border. At the point where the Rhine leaves Lake Constance stands the photogenic town of Stein am Rhein, with its enchanting medieval half-timbered houses grouped around the central square. A stroll through the streets will take you to the monastery of St Georgen and over the Rhine to Eschenz. The Roman fort of Tasgetium once stood here, guarding the spot where the Roman road crossed the Rhine.

Am Ortsausgang von Stein am Rhein in Richtung Radolfzell verlassen Sie die Schweiz wieder. Die Fahrt führt am rechten Seerheinufer entlang zur verträumten Halbinsel Höri. Von den malerischen Fischerorten Öhningen und Gaienhofen aus empfehlen sich Ausflüge und Wanderungen in die unberührte Natur des Schiener Berg ebenso wie eine Fahrt mit dem Fährschiff nach Steckborn am schweizerischen Ufer. Wanderfreudige machen von hier aus einen Abstecher zum Schloß Arenenberg.

A la sortie de Stein sur le Rhin, nous quittons la Suisse par la route de Radolfzell et suivons les berges du lac jusqu'à la presqu'île paisible de Höri. Depuis les villages de pêcheurs pittoresques de Gaienhofen et Öhningen, on peut faire de très jolies randonnées dans la nature sauvage du Schiener Berg ou prendre un bateau pour Steckhorn, située sur la rive suisse. Les amateurs de marche à pied monteront au château d'Arenenberg.

From Stein am Rhein we leave Switzerland and go north to Radolfszell, following the shore around the sleepy Höri peninsula. The fishing villages of Öhningen and Gaienhofen are good starting points to explore the unspoiled landscape of the Schiener Berg; alternatively, board the ferry to the pretty town of Steckborn on the Swiss side. From here keen walkers can take the path east up to the terrace of Schloss Arenenberg; their reward is a stupendous panorama of the lake and the isle of Reichenau.

Über Horn und Moos erreichen Sie die Stadt Radolfzell. Hier gründete im Jahre 826 Bischof Ratold von Verona eine Klosterzelle, die sich schon bald zu einem lebendigen Marktplatz mit wechselvoller Geschichte entwickelte. Nach der Besichtigung des sehenswerten Liebfrauenmünsters aus dem 15. Jh. spazieren Sie auf „Viktor von Scheffels Spuren" entlang dem Zeller See zum Scheffelsschlößchen auf der Halbinsel Mettnau.

Nous atteignons la ville de Radolfzell par Horn et Moos. La cité à l'aspect médiéval et à l'histoire mouvementée fut d'abord un ermitage, fondé en 826 par St. Radolf, évêque de Vérone, avant de devenir une ville commerçante prospère. Après avoir visité l'église gothique du 15e siècle qui renferme le tombeau de style baroque du Saint, nous partons sur les traces du poète Victor von Scheffel, le long du lac de Zeller jusqu'au château de Scheffel sur la presqu'île de Mettnau.

Radolfzell grew up around a monastery founded in 826 by Bishop Ratold of Verona. Ratold eventually retired to this quiet spot, though later the town was to have a chequered history and for many years was in Austrian hands. In the Middle Ages pilgrims flocked to the shrine that can still seen in front of the Baroque altar of the Liebfrauenmünster. After a visit to the imposing houses of the Old Town, walk along the narrow Mettnau peninsula to admire the nature reserve and the pretty little Scheffelschloss.

Die Seeuferstraße führt am Markelfinger Winkel vorbei nach Allensbach, einer Gründung der Abtei Reichenau aus dem frühen 8. Jh. und im Mittelalter Stadt mit Markt- und Münzrecht. Neben der hübschen Pfarrkirche mit barockem Zwiebelturm bietet der beliebte Ferienort ein sehenswertes Heimatmuseum zur Siedlungsgeschichte der Unterseeregion.

La route qui longe la rive du lac passe par Markelfinger pour atteindre Allensbach fondée au début du 8e siècle par l'abbaye de Reichenau. Au Moyen-âge, la ville avait droit de tenir marché et possédait sa propre monnaie. Outre la jolie église paroissiale surmontée d'un clocher à bulbe de style baroque, la cité possède un musée régional très intéressant où est racontée l'histoire de la colonisation de la région du lac Inférieur.

Between Radolfzell and Konstanz stands the attractive town of Allensbach. Reichenau abbey founded a cloister here in the 8th century and in the Middle Ages Allensbach was even allowed to mint its own coins. The pleasant parish church with its Baroque onion tower is well worth seeing, as is the local history museum, with its exhibition of settlements in the area from the earliest times. For outdoor amusement Allensbach offers good hill walking country.

Über einen aufgeschütteten Damm aus der Mitte des letzten Jahrhunderts kommen Sie zur Reichenau, der größten der drei Bodenseeinseln. Nach der Statue des hl. Pirmin, dem Gründer und ersten Abt des Klosters, das bereits im Jahre 780 von Karl dem Großen wegen seines richtungsweisenden Kulturschaffens zur Reichsabtei erhoben wurde, sehen Sie rechts die eindrucksvolle St. Georgs-Kirche in Oberzell aus dem 9. Jh. Das eigentliche Kloster mit dem Münster steht in Mittelzell.

Nous franchissons une digue construite au milieu du siècle dernier pour atteindre Reichenau, la plus grande des trois îles du lac de Constance. En 780, Charlemagne élevait le cloître au rang d'abbaye impériale en raison de son influence culturelle considérable. Après avoir vu la statue de Firmin, son fondateur et premier abbé, nous allons visiter l'impressionnante église Saint-Georges du 9e siècle à Ober-Zell et les premières constructions de l'abbaye avec la basilique romane.

The causeway connecting Reichenau to the mainland was not constructed until 1838. Reichenau is the largest of the three islands in Lake Constance. Its splendid Romanesque churches are all different and all have their own special charm: St George (9th c. in Oberzell, St Peter and Paul in Niederzell (10/11th c.) and the Minster of Mittelzell (11th c.). In the Middle Ages the Benedictine abbey of Mittelzell, founded in 724 by the Irish monk St Pirmin, was a leading centre of European culture.

Die Straße ins Zentrum von Konstanz führt durch Wollmatingen und Petershausen. Auf einer Brücke neben dem Alten Rheintorturm aus dem 13. Jh. überqueren Sie den Rhein, der hier den Obersee verläßt. Konstanz ist gebaut auf frühgeschichtlichem Boden; nach den Siedlungen der Kelten kamen die Römer, die der Stadt um das Jahr 300 den Namen Constantia gaben. Seit dem 16. Jh. verläuft die deutsch-schweizerische Grenze mitten durch die Wohnviertel zwischen Konstanz und Kreuzlingen.

La route nous conduisant au centre de Constance traverse les faubourgs de Wollmatingen et de Peterhausen. Nous franchissons le Rhin qui quitte le lac Supérieur près de l'ancienne tour dite Rheintorturm du 13e s. La ville a une origine préhistorique. Elle fut d'abord colonie celtique avant que les Romains ne l'appellent Constantia vers l'an 300. Depuis le 16e s., la frontière suisse-allemande traverse les quartiers résidentiels entre Constance et la vile suisse contiguë de Kreuzlingen.

The road from Reichenau runs east through Wollmatingen (famous bird sanctuary) to Konstanz, the largest town on the lake. Konstanz started life as a tiny Celtic fishing village. The Romans, realizing its strategic importance, built a fort here which they named Constantia after the ruling Emperor. Since the 16th century the German-Swiss border has run directly through Konstanz at Kreuzlingen. Visitors should not miss the 13th century Rhine tower and the fascinating buildings of the Old Town.

Hinter dem Rheintorturm beginnt mit der Niederburg die unter Denkmalschutz stehende Altstadt von Konstanz mit engen Gassen und urigen Weinkellern. Sie überqueren den Münsterplatz und an alten bemalten Fachwerkhäusern und dem in reinem Renaissancestil 1594 erbauten Rathaus vorbei kommen Sie zum Rosgartenmuseum, das Ihnen einen interessanten Einblick in die Stadtgeschichte vermittelt.

Juste derrière le Rheintorturm, commence la vieille ville de Constance, classée monument historique, très pittoresque avec ses ruelles tortueuses et ses vieux cafés. Nous traversons la place de la Cathédrale, longeons d'anciennes maisons à colombages aux façades peintes et le Rathaus , remarquable édifice de style Renaissance (1594) avant d'arriver au Rosgarten Museum, un musée établi dans une ancienne maison du 14e, qui donne une vue d'ensemble sur l'histoire de Constance.

Set between the medieval Rhine tower and the Swiss border is the old quarter of Konstanz, with its quaint winding lanes and inviting wine taverns. Starting at the fine Gothic minster, take a stroll around the Münsterplatz and Old Town to admire the elegant Renaissance Town Hall (1594) and the half-timbered houses with their ornately painted facades. In one of these, the former house of the Butchers' Guild, is housed the Rosgartenmuseum.

Seit dem 6. Jh. Bischofssitz, erlebte Konstanz 1414-1418 das wichtigste Konzil des Mittelalters. Mit der Wahl eines neuen Papstes sollte die finstere Zeit der Kirchenspaltung beendet werden. Vom gut erhaltenen Konzilsgebäude am Hafen führt Ihr Stadtrundgang durch die Parkanlagen am See zum sehenswerten Münster „Unserer Lieben Frau".

Siége d'évêché depuis le 6e siècle, Constance fut le lieu du Concile le plus important du Moyen-Age qui dura de 1414 à 1418. Le réformateur Jean Hus y fut condamné à mort et l'élection d'un nouveau pape termina la scission de l'Eglise. Depuis la maison du Concile appelée aussi Kaufhaus, nous flânons à travers le parc en bordure du lac jusqu'à la cathédrale Notre-Dame.

Konstanz had a bishop as early as the 6th century and was from the first a powerful diocese. The town found fame when the Council of Constance, the greatest council of the Middle Ages, convened here in 1414. For a century there had been two, sometimes three, popes at once; the Council was called to resolve the shameful dispute once and for all. The picturesque Council Building stands beside the harbour.

### KONSTANZ, Münster

Das Konstanzer Münster wurde auf den Resten der alten römischen Stadtanlage aus dem 3. Jh. erbaut. Der romanische Grundriß sowie die in ihrem ursprünglichen Zustand erhalten gebliebene Krypta unter der Kirche macht sie zum geschichtlich interessantesten Baudenkmal am Bodensee.

### CONSTANCE, cathédrale

La cathédrale de Constance a été construite sur les ruines de l' enceinte romaine qui entourait la ville au 3. siècle après Jésus-Christ. Ses éléments romans, dont la crypte admirablement bien conservée, font de ce bel édifice, le monument historique le plus intéressant du lac de Constance.

### KONSTANZ, minster

The Minster of Konstanz was erected on the remains of a former Roman town which dates from the 3rd century A. D. The Minster has retained its Roman ground plan and the original crypt, making it the most interesting historic monument on Lake Constance.

Falls die Fahrt am schweizerischen Ufer weitergehen soll, passiert man den Kreuzlinger Zoll in Richtung Romanshorn, dem größten Hafen am Bodensee und Ausgangspunkt der Autofähre nach Friedrichhafen. In Arbon, das seinen Namen von der römischen Siedlung Arbor felix ableitet, ist ein Stadtrundgang mit Schloßbesichtigung zu empfehlen. Über Rorschach führt die Uferstraße entlang der Rorschacher Bucht zum vorarlbergischen Bregenz.

Si l'on a envie d'explorer davantage la rive suisse du lac, on franchit la douane à Kreuzlingen en direction de Romanshorn, le plus grand port du lac de Constance et lieu d'embarquement (bacs-autos) pour Friedrichshafen. Arbon en Suisse, l'ancienne colonie romaine Arbor felix, possède un très joli château du 16e siècle. Après avoir visité Rorschach, chef-lieu de district du canton de Saint-Gall, nous longeons la baie pour atteindre Bregenz, la capitale de la région du Vorarlberg en Autriche.

Before leaving Konstanz, it is worth exploring the road that follows the Swiss shore of the lake towards Bregenz. From the customs post at Kreuzlingen take the road to Romanshorn, which has the largest harbour on Lake Constance. Here the ferries leave for Friedrichshafen, on the north shore. Arbon has a castle and a long beach; its name is derived from its Celtic name of Arbona. The road continues through the pleasant resort of Rorschach, with its attractive Kornhaus beside the harbour.

Besonders an klaren Tagen bildet der Säntis (2503 m) mit seinem Nachbarn Altmann (2436 m) die beeindruckende Kulisse des Obersees, womit dieses Gebirgsmassiv seine Erwähnung in einem Bodensee-Bildband mehr als rechtfertigt. Ein Ausflug ins Appenzeller Land sollte daher auch zur Schwägalp führen; von der dortigen Talstation bringt Sie eine Luftseilbahn in kürzester Zeit auf den Gipfel des Säntis mit einzigartiger Rundsicht über den See und die Schweizer Berge.

Le massif alpin du Santis (2503 m) se doit d'être cité dans un livre sur le lac de Constance. Avec son voisin, l'Altman (2436 m), il offre, surtout par temps clair, une toile de fond impressionnante devant laquelle s'étend le lac Supérieur. Pour monter à son sommet d'où l'on a une vue merveilleuse sur tout le lac de Constance et sur les montagnes suisses, on se rendra à la station de Schwägalp dans le pays d'Appenzeller où un téléphérique attend les visiteurs.

From the Swiss shore of Lake Constance, a visit inland is a must. Gourmets will make for the Appenzell cheese factory; photography enthusiasts will make for the mountains to the south, where on a clear day the Säntis (2503 m) and its neighbour the Altmann (2436 m) offer an unparalleled panorama of the upper lake and the Swiss Alps. Climbing gear is not necessary; from the valley station of Schwägalp you can take an exhilarating ride in a cable car.

Doch nun zurück nach Konstanz; vorbei am Anlegeplatz der Meersburger Autofähre kommen Sie zur Blumeninsel Mainau mit ihren subtropischen Gärten. Begünstigt durch das milde Bodenseeklima präsentiert sie sich, mit der großen Tulpenschau im Frühling beginnend, das ganze Jahr über als ein Blütenmeer. Ein Spaziergang führt Sie vom Steg beim „Schwedenkreuz" quer über die Insel zum Schloß mit seinen gastlichen Stätten. Auf dieser Seite legen auch die Kursschiffe an.

Nous voici de retour à Constance. Après avoir dépassé l'embarcadère des bacs à auto pour Meersburg, nous arrivons à l'île fleurie de Mainau réputée pour ses jardins subtropicaux. Grâce au climat doux du lac, l'île se présente comme une mer de fleurs en toutes saisons. Nous dépassons la Croix des Suédois pour traverser l'île jusqu'au château de style baroque. C'est de ce côté que les embarcations rapides partent pour Meersburg.

From the Swiss shore we return to Konstanz and cross the German border to explore the northern shore. Our first stop, just north of Konstanz, is the famous island of Mainau with its superb parks and gardens. The island is privately owned (cars not allowed) and the extensive grounds are open from March to October. They offer a magnificent display of flora, including an extraordinary range of subtropical and tropical plants and trees which profit from the unusually mild climate of Lake Constance.

Weiter geht es über Dingelsdorf zum waldreichen Bodanrück. Wandern Sie von Wallhausen aus durch die wildromantische Marienschlucht nach Bodman, am nordwestlichen Ende des Überlinger Sees gelegen. Es ist das alte „Potoma", einst frühe Siedlung der Alemannen und im 9. Jh. Kaiserpfalz, das dem Bodensee seinen Namen gab. Ein schöner Spaziergang führt Sie um den See herum nach Ludwigshafen, der Schwestergemeinde von Bodman.

Le Bodanrück boisé s'étend derrière Dingelsdorf. Une promenade à partir de Wallhausen nous fait traverser la nature sauvage et romantique de la Marienschlucht ou gorge de Marie avant d'arriver à Bodman située à la pointe nord-ouest de la partie du lac dite Überlingersee. La plus ancienne localité des bords du lac s'appelait autrefois „Potoma"; elle fut un village alaman, puis cité impériale au 9e siècle et donna son nom au lac (Bodensee en allemand).

Following the shore road through Dingelsdorf, we come to the wooded peninsula north of Konstanz known as the Bodanrück. The Marienschlucht, a deep, extremely narrow gorge, makes a spectacular walk for ramblers. On to Bodman, which gave Lake Constance its German name: Bodensee is in fact derived from Bodmansee. From Bodman a lakeside walk leads to Ludwigshafen and the attractive village of Sipplingen, whose waterworks supply large areas of south Germany with drinking water.

Die einstmalige Freie Reichsstadt Überlingen, im 7. Jh. Sitz des Alemannenfürsten Gunzo, lädt ein zu einem Rundgang um den mittelalterlichen Stadtkern. Vom Grethhaus an der neugestalteten Uferpromenade spazieren Sie am Zeughaus (1471) mit Waffenmuseum vorbei und durch den Kurpark zum Rosengarten mit zum Teil subtropischen Pflanzen. Dort beginnt auch der Wallgraben entlang der alten Stadtmauer mit gut erhaltenen Wehrtürmen.

L'ancienne ville libre impériale d'Überlingen, résidence des princes alamans Gunzo au 7e siècle, invite à la promenade dans les ruelles pittoresques de son coeur médiéval. Depuis la maison dite Grethaus, nous flânons le long des rives nouvellement aménagées jusqu'au Zeughaus bâti en 1471 qui renferme des collections d'armes, traversons ensuite le parc thermal et le jardin dit Rosengarten où nous pouvons admirer une végétation en partie subtropicale.

Überlingen, formerly a Free City of the Empire, was founded on an earlier Alemannic settlement by Emperor Frederick Barbarossa in about 1180. Starting from the newly laid-out lake promenade, we walk along the shore past the Zeughaus of 1471 with its armoury museum and through the Kurpark to the Rosengarten with its luxuriant flower gardens. From here we can follow the course of the ancient town walls, complete with moat and well-preserved gateways.

## ÜBERLINGEN, Nikolaimünster

Durch das Franziskanertor kommen Sie zum malerischen Münsterplatz. Auf der Südseite des sehenswerten Nikolausmünsters aus dem 14. Jh. liegt das historische Rathaus von 1490 mit einem einmaligen, durch meisterliche Holzschnitzereien verzierten Ratssaal, daneben, die Stadtkanzlei aus dem Jahre 1598. Die Treppe an der Ölbergkapelle führt hinunter zur Hofstatt und zurück zum Ausgangspunkt an der Schiffsanlegestelle.

## ÜBERLINGEN, cathédral St-Nicolas

Nous arrivons sur la place pittoresque de la cathédrale par la porte des Franciscains. Le Münster de style gothique (14e s.) renferme un riche trésor. Sur son côté gauche, se dressent la maison dite Stadtkanzlei datant de 1598 et le Rathaus (hôtel de ville) de 1490 où l'on peut visiter une belle salle du conseil aux magnifiques boiseries sculptées. L'escalier près de la chapelle Ölberg descend au Hofstatt d'où nous rejoignons l'embarcadère.

## ÜBERLINGEN, minster

Passing through the old gateway of Überlingen known as the Franziskanertor, we reach the picturesque Minster Square. The minster of St Nicholas, with its splendid High Altar, dates back one thousand years; most of the present building is, however, Gothic. Not far from the minster stands the Town Hall (1490), whose panelled Council Chamber boasts a fine collection of wooden carvings. On the south side of the minster steps lead down from the Ölbergkapelle to the harbour.

## BIRNAU mit Säntisblick

Über Nußdorf geht es weiter zur barocken Wallfahrtskirche Birnau, in schönster Aussichtslage oberhalb Maurach am See gelegen. Lassen Sie im lichterfüllten Innenraum der Kirche die wunderbaren Malereien und Stukkaturen auf sich wirken. – Die Mönche des Salemer Klosters kamen zur Birnau über den Prälatenweg, der heute noch als ausgeschilderter Wanderweg am Affenberg vorbei zur ehemaligen Abtei Salem führt.

## L'église de pélerinage Birnau

Nous traversons Nussdorf pour nous rendre à l'église de pélerinage baroque de Birnau, érigée dans une situation magnifique au-dessus de Maurach. Admirons les merveilleuses peintures et stucs qui décorent l'intérieur de l'église inondé de lumière. Les moines du cloître de Salem arrivèrent à Birnau par le chemin des Prélats que l'on peut encore suivre aujourd'hui. Il passe devant l'Affenberg (montagne des singes) et conduit à l'ancienne abbaye de Salem.

## Pilgrimage church of Birnau

A few miles on from Überlingen we reach the pink and white pilgrimage church of Birnau, set among vineyards beside the lake. It is an overwhelming and unforgettable experience to stand in the glowing interior of this light-filled church and gaze at the vivid Rococo wall paintings, the opulent gold leaf, the elegant plasterwork and the frescoed ceiling with its three clocks. A woodland footpath known as the Prelate's Way connects Birnau and its mother church, the Cistercian abbey of Salem.

## ABTEI SALEM

Das 1137 gegründete Kloster der Zisterzienser in Salem, im Mittelalter die bedeutendste Abtei Süddeutschlands, war als Reichsstift nur Kaiser und Papst untertan. Die meisten Bauwerke aus sechs Jahrhunderten Klosterleben können besichtigt werden. Mit der Aufhebung der Abtei im Jahre 1803 ging die Klosteranlage auf den Markgrafen von Baden über. In einem Teil der Gebäude ist das bekannte Internat der Schloßschule Salem untergebracht.

## Abbaye de Salem

Salem, fondée en 1137 par les moines cisterciens, était au moyen-âge l'abbaye impériale la plus puissante du Sud de l'Allemagne, subordonnée seulement à l'empereur et au pape. On peut visiter la plupart des bâtiments conventuels qui relatent six siècles de vie monacale. L'abbaye fut sécularisée en 1801 et devint possession des margraves de Bade. L'internat de la célèbre école de Salem est installé dans une partie de l'édifice.

## Salem Abbey

Founded in 1137, the abbey of Salem, north-west of Birnau, was once the greatest Cistercian monastery in south Germany, answerable only to the Emperor and the Pope. The abbey was dissolved in 1803 and subsequently became a palace of the Margrave of Baden. Many of the buildings are open to visitors; one part of the abbey houses the exclusive Salem boarding school, which counts the Duke of Edinburgh among its former pupils.

In Unteruhldingen steht ein Besuch der Pfahl-bauten im Freilichtmuseum auf dem Pro-gramm. Hier haben Geschichtsforscher im Uferbereich auf Holzpfähle gebaute, strohge-deckte Hütten unter Zuhilfenahme von prähi-storischen Funden aus der frühen Bronzezeit rekonstruiert. Am Ufer entlang führt ein Spa-zierweg nach Seefelden zur ältesten Pfarrkir-che (6. Jh.) am Bodensee.

Unteruhldingen possède un important musée de plein air formé par la reconstitution de villa-ges lacustres des âges de pierre et du bronze. Ces habitations ont été rebâties grâce à des fouilles qui permirent de découvrir de nom-breux objets et traces préhistoriques. Une pro-menade le long des berges conduit à Seefelden où se dresse la plus ancienne église paroissiale (6e siècle) de la région du lac de Constance.

In Unteruhldingen, between Birnau and Meers-burg, an absolute must is a visit to the extraor-dinary open-air museum. Extensive prehistoric finds from this area prompted archaeologists to erect authentic reconstructions of the origi-nal thatched Stone Age and Bronze Age lake dwellings which once perched on stilts beside the shallow waters at the edge of the lake. From Unteruhldingen it is a short walk along the lake shore to Seefelden, whose church of St Martin is one of the oldest in the region.

Von weitem schon sieht man die Meersburg, auf hohem Felsen über dem See gebaut, deren älteste Türme auf das 7. Jh. zurückgehen. Eine hölzerne Brücke führt über den tiefen Burggraben und durch das mittelalterliche Tor gelangt man in den Innenhof der Burg. Einige Räume, u.a. das Arbeitszimmer der Dichterin Annette von Droste-Hülshoff, können besichtigt werden.

Depuis très loin déjà, nous pouvons voir le Vieux Château de Meersburg, bâti (selon la légende par le roi Dagobert) sur un piton rocheux au-dessus du lac de Constance et dont les tours les plus anciennes dateraient du 7e siècle. Un pont en bois enjambe un profond fossé. Après avoir franchi une porte médiévale, nous arrivons dans la belle cour intérieure du château. Quelques salles de l'édifice, dont le cabinet de travail de la poétessse Annette von Droste-Hülshoff, sont ouverte au public.

Our next stop after Unteruhldingen is the town of Meersburg. Meersburg is dominated by the Alte Schloss, a sturdy white-walled castle built on a rocky outcrop high above the lake. A wooden bridge leads over a deep moat and through a medieval gateway to the inner courtyard of the castle, whose oldest sections date from the 7th c. Some rooms, such as the study of the poet Annette von Droste-Hülshoff, are open to visitors. Meersburg is also the home of the Lake Constance wine festival (September).

Im Jahre 1712 wurde Balthasar Neumann von den Konstanzer Bischöfen mit dem Bau des Neuen Schlosses beauftragt, von dessen Terrasse man eine wunderbare Aussicht auf das ganze Panorama des „Schwäbischen Meeres" hat. Zu den besonderen Sehenswürdigkeiten der Oberstadt zählen das Rathaus, der malerische Marktplatz und das mittelalterliche Obertor.

En 1712, l'évêque de Constance demandait au grand architecte Balthasar Neumann de lui bâtir une résidence qui fut plus tard appelée le Nouveau Château. Une vue magnifique sur le lac s'offre depuis la terrasse de l'édifice épiscopal construit entre 1743 et 1750. Outre ses deux châteaux, l'ancienne petite ville badoise abrite de nombreux coins pittoresques tel le Marktplatz (place du marché) et des monuments intéressants comme l'Hôtel de ville et la porte médiévale appelée Obertor.

In the 18th c. the distinguished Baroque architect Balthasar Neumann was appointed architect of the Neue Schloss in Meersburg. Completed in 1750, this imposing mansion now houses exhibitions, an armoury and various museums, including a wine-making museum, while the terrace affords a view of a long reach of Lake Constance. Other interesting sights of the upper town are the 16th c. Town Hall, the picturesque houses in the market place and the medieval Obertor, or upper gateway.

### Meersburg, Obertor Steigstraße

Die Steigstraße führt am riesigen Mühlrad der Schloßmühle und schönen alten Fachwerkhäusern vorbei in die Unterstadt und endet am Seetor. Hinter dem Kornhaus setzt sich das quirlig-bunte Treiben des Fremdenverkehrs bis zur Uferpromenade und den Anlegeplätzen der Bodenseeflotte fort.

### Meersburg, Porte Supérieure

La rue dite Steigstrasse, bordée de belles maisons à colombages anciennes, passe devant l'immense roue du moulin du château, descend vers la ville basse et se termine au Seetor ou Porte du Lac. L'autre partie très animée de la ville commence derrière le Kornhaus ou Halle au blé et s'étend jusqu'à la promenade des rives où se trouve l'embarcadère de la "Flotte des bateaux du lac de Constance".

### MEERSBURG, Obertor

Meersburg's narrow Steigstrasse, with its ornate half-timbered houses and quaint taverns, leads past the huge mill wheel of the castle, dating from 1620, down to the Lower Town and ends at the Seetor, or lake gateway. From Meersburg the distinctive white ships of the Lake Constance fleet run a busy ferry service to Konstanz, and behind the Kornhaus there is a constant swirl of colourful activity as visitors flock to and fro along the lake promenade, around the harbour and up to the town.

Auf der Uferstraße geht die Fahrt weiter nach Hagnau, einem idyllischen Winzerort umrahmt von Weinbergen. Neben der Pfarrkirche St. Johann Baptist liegt der Salmannsweiler Hof aus dem 16. Jh. Im „Alten Torkel" befindet sich eine sehenswerte mittelalterliche Kelteranlage. FRIEDRICHSHAFEN erhielt seinen Namen erst zu Beginn des 19. Jh. durch König Friedrich I. von Württemberg, als dieser Schloß Hofen zur Sommerresidenz machte. Bekannt wurde die Stadt, durch das hier gebaute Luftschiff „Zeppelin".

Nous continuons notre route le long du lac jusqu'à Hagnau, un village idyllique niché parmi les vignobles. La ferme de Salmannsweiler, construite au 16e siècle jouxte l'église paroissiale Saint-Jean-Baptiste. L'Alten Torkel renferme un pressoir intéressant datant du moyen-âge. Friedrichshafen ne reçut son nom qu'au début du 19e s. lorsque le roi Frédéric 1er de Wurtemberg choisit le château Hofen comme résidence d'été. C'est dans cette ville que fut construit le ballon dirigeable Zeppelin.

From Meersburg we come to Hagnau, an idyllic fishing village set among neat vineyards. Near the church of St John the Baptist stands the 16th century Salmannweiler Hof; in the Alte Torkel there is a fascinating medieval wine press. The road follows the shore to Friedrichshafen, named after King Friedrich I of Württemberg who made the town his summer residence. Nowadays Friedrichshafen is associated with Count Zeppelin, who built the first airship here.

Vorbei an Eriskirch und dem Naturschutzgebiet des Eriskircher Ried erreicht man Langenargen, wo auf einer Landzunge im Bodensee das Schloß der Grafen von Montfort lag. Das heutige Gebäude in maurischem Stil wurde 1864 im Auftrag von König Wilhelm I. neu errichtet. Auf dem Weg nach Kressbronn lohnt sich ein Besuch der ältesten Kabelhängebrücke Deutschlands (1898), die hier die Argen überquert.

Nous traversons Eriskirch et le parc national de l'Eriskircher Ried pour rejoindre Langenargen. Autrefois, l'ancien château des ducs de Montfort se dressait sur une presqu'île du lac. L'édifice actuel a été construit dans le style mauresque en 1864 pour le roi Guillaume 1er. Sur la route de Kressbronn, nous nous arrêtons pour admirer le plus ancien pont suspendu sur câbles d'Allemagne (1898), jeté au-dessus de la rivière Argen.

From Friedrichshafen the road takes us past the nature reserve of Eriskircher Ried, a popular place for walkers, and on to Langenargen, where the castle of the Duke of Montfort once stood on a narrow promontory. The present tiny castle, designed in Moorish style, was completely rebuilt by King Wilhelm I. in 1864 and is now open to the public. The road from Langenargen to Kressbronn crosses the river Argen via the oldest suspension bridge in Germany, dating from 1898.

Der gepflegte Erholungsort Kressbronn ist die letzte württembergische Gemeinde vor der bayerischen Landesgrenze. Wir bleiben jedoch vorerst in Baden-Württemberg und verlassen den Bodensee auf der Oberschwäbischen Barocksstraße. Zwischen Kressbronn und Tettnang dehnt sich der Tettnanger Wald, liegt das Anbaugebiet des Tettnanger Hopfen, der die Montfortstadt so berühmt gemacht hat.

L'agréable lieu de villégiature Kressbronn est la dernière localité wurtembourgeoise avant la frontière de la Bavière. Nous restons cependant dans le Bade-Wurtemberg et quittons le lac de Constance par la Oberschwäbische Barockstrasse ou route baroque du Souabe supérieur. La forêt de Tettnang s'étend entre Kressborn et Tettnang. Cette région est également celle de la culture du houblon "tettnangais" qui a fait la réputation de la ville des comtes de Montfort.

The immaculate health resort of Kressbronn is the last parish in the state of Baden-Württemberg. Before we cross the Bavarian border, however, we leave the lake and turn north, following the Upper Swabian Baroque Route on a detour to the romantic town of Tettnang. The road winds through the Tettnang woods and past fields of the famous Tettnang hops which have made the town a household word among serious beer drinkers. The local asparagus is also highly rated among gourmets.

Wo einst die mittelalterliche Festung der Grafen von Montfort stand, wurde im Jahre 1720 das Neue Schloß erbaut. Von hier bietet sich ein wunderbarer Blick über die abwechslungsreiche Landschaft bis hin zum Bodensee und den Schweizer Alpen. Beim Besuch der zahlreichen Narrenumzüge in dieser Region lernt man das urige Brauchtum der alemannischen Fastnacht in Oberschwaben am besten kennen.

Le Nouveau Château a été édifié en 1720 sur l'emplacement de l'ancien fort médiéval des comtes de Montfort. Depuis ses terrasses, un panorama incomparable se déroule jusqu'au lac de Constance et aux Alpes suisses. Chaque année, à l'époque du Mardi-gras, des cortèges de fous envahissent toutes les localités de la région et rappellent les anciennes coutumes du carnaval alemanique en Souabe supérieure.

The Neue Schloss in Tettnang was erected in 1720 on the site of the medieval stronghold of the Duke of Montfort. From here there is a striking panorama over the chequered landscape below, with Lake Constance in the distance and the Swiss Alps on the horizon. Visitors who arrive during the "Fasnacht", or carnival season will find colourful parades of strangely-dressed cavorting figures in many towns in Baden-Württemberg.

Umzug der Aulendorfer Hexen     ▽ Blumennarr aus Baienfurt     △ Hopfennarro aus Tettnang     ▽ Aulendorfer Hexen

Unterhalb der Veitsburg, einst Stammsitz der Welfen, liegt die oberschwäbische Metropole Ravensburg. Ausgehend vom Rathaus am Marienplatz empfiehlt sich ein Spaziergang am Lederhaus und Blaserturm vorbei zum Heimatmuseum im Vogthaus von 1480 mit einer umfassenden Sammlung zur Stadt- und Heimatgeschichte. Vom Mehlsack, dem höchstgelegenen Turm der alten Stadtbefestigung, hat man den schönsten Ausblick über die ehemalige Reichsstadt.

La ville principale de la Souabe supérieure s'étend sous la Veitsburg, ancienne résidence des Guelfes. Nous partons de l'Hôtel de ville situé sur le Marienplatz, dépassons le Lederhaus ou maison du cuir, la tour du Blaserturm et allons visiter le musée régional (collections se rapportant à l'histoire de la ville), installé dans le Vogthaus, édifice construit en 1480. Depuis Mehlsack, la plus haute tour de guet des fortifications médiévales, nous avons une vue magnifique sur l'ancienne ville impériale.

Following the road north, we come to the ancient city of Ravensburg. Taking the Gothic Town Hall as a starting point, walk past the Lederhaus and the Blaserturm to the Museum of Local History in the half-timbered fifteenth century Vogthaus, housing a comprehensive collection which illustrates the history of the surrounding area. Of all the towers along the 600-year-old town walls, the highest is the Mehlsack (flour sack), which affords a fine view over the rooftops of this attractive old town.

Türme und Kuppel der größten Barockkirche nördlich der Alpen überragen den alten oberschwäbischen Wallfahrtsort Weingarten. Die Basilika der früheren Benediktinerabtei Altdorf wurde 1715 von namhaftesten Künstlern des Barock erbaut und ausgeschmückt. Die wundevolle Orgel von J. Gabler mit 76 Registern und über 7000 Pfeifen wird umrahmt von vollendetem Stuck und meisterlicher Freskenmalerei.

Les tours et la coupole de la plus grande église baroque au Nord des Alpes dominent Weingarten, un très ancien lieu de pélerinage en Souabe. L'église de l'abbaye bénédictine fondée au 10e siècle fut construite et décorée à partir de 1715 par les plus grands noms de la période baroque. Des stucs et des fresques admirables servent d'écrin aux célèbres orgues de J. Gabler qui ont 76 registres et plus de 7000 tuyaux.

The towers and cupola of the largest Baroque church north of the Alps dominate the old Swabian town of Weingarten. This vast, outstandingly beautiful church of the former Benedictine Abbey was built in the 18th century and the most celebrated artists of the time were chosen to contribute to the exterior and interior design. The lustrous organ case is framed by exquisite plasterwork and glowing frescoes. It houses a magnificent organ built by J. Gabler, with 76 stops and over 7,000 pipes.

Bad Waldsee, im Jahre 850 fränkischer Königshof und seit 1298 Stadt, hat sein mittelalterliches Ortsbild mit schönen Fachwerkhäusern rings um die Stiftskirche St. Peter erhalten. Sehenswert auch das Wurzacher Tor aus dem 14. Jh. Im nur wenige Kilometer entfernten Bad Schussenried empfiehlt sich ein Besuch der Klosterkirche mit besonders beachtenswertem Chorgestühl.

Bad Waldsee, résidence des rois francs en 850 et ville depuis 1298, a conservé sa physionomie médiévale dominée par de pittoresques maisons à colombages, par l'église paroissiale Saint-Pierre et la porte dite Wurzacher Tor datant du 14e siècle. Dans la localité voisine de Bad Schussenried, une visite s'impose à l'église de l'ancienne abbaye des Prémontrés qui renferme entre autres de très belles stalles baroques.

Northwest of Weingarten we reach Bad Waldsee. The town was founded in 850 on the site of an old Frankish palace and it has retained its picturesque town centre with the attractive medieval half-timbered houses grouped around the church of St Peter. Of the town's many towers and gateways, the most striking is the tall, simple, 14th century Wurzacher Tor. Only a few kilometres away is the striking Baroque church of Bad Schussenried, worth a visit for its ceiling frescoes and fine choir stalls.

### STEINHAUSEN, Pfarrkirche

Im Jahre 1727 im Auftrag der Reichs-abtei Schussenried begonnen und sechs Jahre später von Dominikus Zimmermann fertiggestellt – die Pfarrkirche St. Peter und Paul in Steinhausen. Sie hat den Ruf, „die schönste Dorfkirche der Welt" zu sein. Dieses Attribut verdankt sie wohl in erster Linie der wunderbaren Ausgestaltung des Kircheninnen-raums mit einzigartiger Freskenmale-rei und Wessobrunner Stuck.

### STEINHAUSEN l'église paroissiale

En 1727, L'abbaye impériale de Schussenried fit appel à Dominique Zimmermann pour construire l'égli-se paroissiale de Saint Pierre-et-Paul de Steinhausen qui fut consacrée six ans plus tard. L'édifice, appelé "la plus belle église de village du monde" doit surtout sa renommée à sa merveilleuse décoration intérieu-re. Les stucs sont de Dominique Zimmermann et les fresques de son frère Jean-Baptiste.

### STEINHAUSEN, parish church

The parish church of St Peter & St Paul in Steinhausen was founded by the monks of Schussenried (p.49) in 1727. The architect was Dominikus Zimmermann and the result was what is often known as the "most beautiful village church in the world". The church earned this description through its incomparable interior design, characterized by unique frescoes and incredibly deli-cate plasterwork.

An Bad Buchau und dem Federsee vorbei kommt man bei Riedlingen ins Donautal und weiter zum berühmten Wallfahrtsort Zwiefalten. Hier hat das 1089 gegründete ehemalige Benediktinerkloster mit dem barocken Münster eine der schönsten Kirchen Deutschlands geschaffen. Über Obermarchtal und Ehingen, in beiden Orten sehenswerte Kirchen, fährt man nach Blaubeuren, wo man neben der gut erhaltenen Klosteranlage die geheimnisvolle „Blautopf"-Quelle besichtigen kann.

Après avoir dépassé Bad Buchau, le lac dit Federsee et Riedlingen dans la vallée du Danube, nous atteignons le célèbre lieu de pélerinage Zwiefalten. La basilique de style baroque de l'ancienne abbaye bénédictine fondée en 1089, est un des plus beaux édifices religieux d'Allemagne. Nous visitons également les églises d'Obermarchtal et d'Ehingen avant de nous rendre à Blaubeuren. Outre l'ancien couvent fondé par les Bénédictins au 11e s., l'étang Blautopf est une curiosité, à ne pas manquer.

Passing Bad Buchau and the Federsee we reach the valley of the Danube near Riedlingen and carry on to the famous shrine of Zwiefalten. The former Benedictine Abbey was founded as early as 1089 and its Baroque abbey church is one of the finest in Germany. Travelling on though Obermarchtal and Ehingen, both with interesting churches, we come to the beautifully situated abbey of Beuren. Near the abbey is the mysterious "Blautopf", a small, deep, circular lake.

In Ulm an der Donau erreichen Sie den östlichsten Punkt auf der Landkarte dieser Farbbild-Reise. Das Stadtbild wird beherrscht vom gewaltigen Münster mit seinem 161 m hohen Turm, dem höchsten Kirchturm der Welt. Ein Rundgang führt vom historischen Rathaus ins mittelalterliche Fischer- und Gerberviertel. In dem ehemaligen Kloster St. Martin in Wiblingen sollte man sich unbedingt den prachtvoll ausgestatteten Bibliothekssaal ansehen.

Ulm sur le Danube est la ville la plus à l'Est de notre circuit photographique. La physionomie de la ville est dominée par la cathédrale majestueuse dont la tour haute de 161 mètres est le plus haut clocher du monde. Une promenade nous emmène de l'Hôtel de ville de style flamboyant et Renaissance jusque dans les quartiers médiévaux des Pêcheurs et des Tanneurs. L'ancienne abbaye St. Martin à Wiblingen renferme une salle de bibliothèque richement décorée qu'il faut voir absolument.

In Ulm on the Danube, the birthplace of Albert Einstein, we reach the most easterly point of our journey. Ulm is dominated by its massive cathedral crowned by a 161 m-high spire, the highest church tower in the world and a masterpiece of the stonemason's art. A walk round the city centre will take you past the historic Town Hall and into the medieval fishermen's and tanners' quarter. In the former monastery of St Martin in Wiblingen the splendid Rococo library is well worth a visit.

Über Laupheim geht es nach Biberach a.d. Riß. Der Marktplatz mit seinen malerischen Fachwerk- und Bürgerhäusern, dahinter die Pfarrkirche St. Martin sowie das Alte Rathaus von 1432 zählen zu den besonderen Sehenswürdigkeiten der einstmals Freien Reichsstadt. Die Weiterfahrt geht entlang der Landstraße nach Ochsenhausen (ehemalige Benediktiner-Reichsabtei) nach Rot a.d. Rot mit dem ersten Prämonstratenserkloster in Schwaben.

Nous passons Laupheim et arrivons à Biberach an der Riss. Le Marktplatz entouré de jolies demeures patriciennes et à colombages, l'église paroissiale de style gothique et l'ancien Hôtel de ville de 1432 font partie des curiosités à visiter dans cette localité qui fut autrefois ville libre impériale. Nous continuons notre route en prenant la direction d'Ochsenhausen où nous visitons une ancienne abbaye bénédictine impériale avant d'arriver à Rot an der Rot qui abrite le premier cloître des Prémontrés fondé en Souabe.

From Ulm we go south through Laupheim to Biberach an der Riss. In the market place stands the Old Town Hall of 1432, surrounded by picturesque half-timbered houses and merchants' dwellings, with the high white tower of St Martin behind. The centre of Biberach is still surrounded by well-preserved old town walls. From here, take the road crosscountry to Ochsenhausen and Rot on the Rot, where the unusual, attractively painted Old Town Hall is set in a former town gateway.

Im hübschen Moorheilbad Bad Wurzach emp-fiehlt sich ein Abstecher zur Ostroute der Oberschwäbischen Barockstraße nach Leut-kirch im Allgäu. In dem mittelalterlichen Städt-chen sind rings um die Pfarrkirche St. Martin und dem Rathaus von 1743 viele Fachwerk-häuser und Türme aus der Reichsstadtzeit erhalten. Durch die Leutkircher Heide führt ein markierter Wanderweg zum sehenswerten Schloß Zeil.

A Bad Wurzach, une station thermale agréable réputée pour ses bains de boue, nous faisons un détour pour aller visiter Leutkirch dans la région de l'Allgäu. Groupés autour de l'église paroissiale St. Martin et de l'Hôtel de ville de 1743, de nombreuses maisons à colombages et des tours de guet rappellent l'époque où la petite cité médiévale était ville libre impériale. Un chemin indiqué à travers la campagne conduit au château de Zeil datant du 16e siècle.

The road continues south to the pretty health resort of Bad Wurzach (famous for its Baroque palace in the town centre) and on to the typi-cal Upper Swabian town of Leutkirch im Allgäu. In this little medieval town many ancient towers and fine half-timbered houses can be found in the quarter around the church of St Martin. Also of interest is the Town Hall of 1743. Walkers will enjoy following the marked footpath which leads through the Leutkirche heath up to the attractive Schloss Zeil.

Ein Ausflug von Leutkirch zum schönen Luft-kurort Wolfegg sollte den Besuch des Renais-sanceschloß und seinem großartigen Ritter-saal einschließen. Die Reise führt weiter ins Allgäu nach Isny, wo eine Besichtigung der Pfarrkirche St. Nikolaus mit ihrer berühmten Prediger-Bibliothek aus dem 15. Jh. sowie ein Spaziergang entlang der mittelalterlichen Stadtbefestigung auf dem Programm steht.

A partir de Leutkirch, une excursion nous emmène à l'agréable station climatique de Wolfegg où nous nous rendons au château Renaissance qui renferme une très belle salle des Chevaliers. Le voyage se poursuit vers Isny dans l'Allgäu. Dans ce lieu de villégiature d'été et d'hiver, nous visitons l'église Saint-Nicolas avec sa célèbre bibliothèque des prédicateurs (15e s.) et faisons une promenade le long des remparts qui datent du moyen-âge.

An excursion form Leutkirch to the pleasant health resort of Wolfegg should include a tour of the town's imposing Renaissance palace with its superb knights' hall. Wolfegg's auto-mobile museum and farmhouse museum are also well worth a visit. Our journey continues southwards through the Allgäu region to Isny, where the best way to view the town is to walk along the old ramparts. The parish church of St Nicholas is famous for its priceless library of sermons dating from the 15th century.

Über Eglofs kommen Sie nach Wangen, dem zentralen Ort des württembergischen Allgäu. Ein Stadtrundgang führt vom Lindauer Tor zum malerischen Marktplatz mit Rathaus, Pfarrkirche und Pfaffenturm und vorbei an den schönsten Bürgerhäusern der Herrenstraße zum Ravensburger Tor. Mit diesen Bildern nehmen wir Abschied von der Oberschwäbischen Barockstraße; oberhalb Lindau empfängt uns der Bodensee mit einem wunderbaren Panorama.

Nous empruntons la route d'Eglof pour atteindre Wangen, la ville principale de l'Allgäu wurtembourgeois. Une visite de la ville au cachet médiéval nous conduit de la porte dite Lindauer Tor au Marktplatz entouré de l'Hôtel de ville, de l'église paroissiale et de la tour appelée Pfaffenturm, le long de la Herrenstrasse bordée de belles maisons patriciennes jusqu'au Ravensburger Tor, porte datant du moyen-âge. Ces images sont les dernières de la route baroque de la Souabe supérieure.

Wangen is a photographer's dream; it is almost impossible to point a camera at the Old Town without recording something of interest. Passing through the Lindauer gateway we come to the picturesque market place with its historic Town Hall and church of St Martin. From here we wander along Herrenstrasse, flanked by stately houses, to the Ravensburger gateway, where we leave the Upper Swabian Baroque Route and return south on the panoramic road to Lindau and the lake.

Die Besichtigung der Inselstadt Lindau beginnt mit einem Spaziergang von Aeschach über die Seebrücke zum malerischen Marktplatz. Am Reichsplatz steht das schöne Alte Rathaus aus dem 15. Jh. mit gemalten Motiven aus der Lindauer Stadtgeschichte. Vorbei am Lindavia-Brunnen kommt man zum Hafenplatz mit dem berühmten Blick auf den bayerischen Löwen an der Lindauer Hafeneinfahrt.

Commençons notre visite de la ville de Lindau par une promenade à partir d'Aesbach. Nous franchissons le pont pour nous retrouver sur le pittoresque Marktplatz ou place du marché. Au Reichsplatz, nous admirons l'ancien Hôtel de ville du 15e siècle dont les peintures de la façade relatent l'histoire de la ville. Nous dépassons la fontaine de Lindavia et arrivons au port qui offre une entrée monumentale, flanquée du célèbre Lion bavarois.

The best way to approach the tiny island of Lindau, is to start from Aeschach on the mainland and walk over the bridge to the old marketplace. Nearby stands the fine, ornately gabled Town Hall, dating from the 15th c., with its painted facade showing scenes from Lindau's history. Passing through Maximilianstrasse, now a pedestrian zone, we come to Lindau's busy harbour which is dominated by the old lighthouse and the marble Bavarian Lion at its entrance.

Vorhergehende Doppelseite: Der weite Blick vom Pfänder – Zauber des Bodensees – im Wechsel von Licht und Wolken einem Gemälde gleich.

Der bayerische Löwe an der Hafenmole von Lindau erinnert daran, daß Bayern erst im Jahre 1805 direkten Anschluß an den Bodensee erhielt. Ein Spaziergang den Uferweg entlang in Richtung Wasserburg führt in die schönen Parkanlagen von Bad Schachen.

Page double précédente: lumière et nuages sur le lac de Constance - la vue panoramique depuis le sommet du Pfänder ressemble à une peinture romantique.

Le Lion bavarois qui se dresse sur le môle ouest du port de Lindau rappelle que le lac de Constance n'a été annexé à la Bavière qu'en 1805. En se promenant le long de la rive conduisant à Wasserburg, on atteindra le très beau parc de Bad Schachen.

Previous page: Lake Constance as seein from Mount Pfänder, near Bregenz. This commanding view shows the magical atmosphere of the lake in the play of light and cloud.

In 1805 a narrow section of the lake shore fell to Bavaria, and as a permanent reminder, the Bavarian Lion guards the entrance to Lindau harbour. A marked shore path to Wasserburg passes through the pleasant parks of Bad Schachen, a health resort.

Die Pfarrkirche St. Georg im malerischen Wasserburg liegt auf einer in den See hinausragenden Landzunge. – Die Farbbild-Reise um den Bodensee geht mit einem Ausflug nach Österreich zu Ende. Vom Bregenzer Hausberg Pfänder bietet sich in über 1000 Meter Höhe bei guter Fernsicht ein einmalig schöner Rundblick über Vorarlberg, das Rheintal und den gesamten Bodensee mit den umliegenden Alpengipfeln.

L'église paroissiale Saint-Georges de Wasserburg est pittoresquement construite sur une langue de terre s'avançant sur le lac. Nous terminons notre voyage de la région du lac de Constance par une excursion en Autriche. Depuis le Pfänder, la montagne de Bregenz (1060 m.), nous emportons une dernière vue magnifique sur la région du Voralberg, sur la vallée du Rhin et sur le lac de Constance en son entier entouré des pics des Alpes.

A few miles west of Lindau lies the picturesque fishing village of Wasserburg. The little parish church of St George stands on a promontory, its white walls mirrored in the blue waters of the lake. We end our journey round Lake Constance at the eastern end with a farewell trip to Bregenz, in Austria. In clear weather Mount Pfänder, overshadowing Bregenz, affords spectacular views over Voralrberg, the Rhine valley, the whole of Lake Constance and the surrounding Alpine peaks.

# Ortsindex

**BILDNACHWEIS** / table des illustrations / table of illustrations

|  | Seiten: |
|---|---|
| Archiv T. u. M. Schneiders | 8, 10, 11, 14, 15, 17, 18, 19, 21, 24, 27, 33, 36, 38, 39, 45, 46, 59, 61, 65, 66/67, 68, 69, 70/71 |
| Luftbild Franz Thorbecke | 5, 6/7, 16, 20, 22, 26, 40/41, 42, 44, 60, 64 |
| Horst Ziethen | Titel, 25, 28, 29, 30, 58 |
| Archiv Kinkelin | 48, 49, 52, 55, 56 |
| Karl Kinne | 23, 31, 34, 35 |
| Archiv Huber, Garmisch | 62/63, Rücktitel |
| Stuttgarter Luftbild Elsässer GmbH: | 30, 53, 54 |
| Xeniel-Dia | 6, 57 |
| Werner Stuhler | 43 (4) |
| Fritz Mader | 32 |
| Werner Otto | 37 |
| Bezirkssparkasse Radolfzell / Foto Engel | 12/13 |
| Erhard Hehl | 47 |
| Archiv Helga Lade | 50 |
| Foto Löbl-Schreier | 51 |
| DLB Deutsche Luftbild | 58 |
| Hans Schlapfer | 9 |

Bodensee-Panoramakarte (Vor- u. Nachsatzseiten)
© Alpen-Verlag, München